Telma

la unicornio

A Tye, con mucha purpurina

Originally published in English as *Thelma the Unicorn*

Translated by Juan Pablo Lombana

Copyright © 2015 by Aaron Blabey
Translation copyright © 2017 by Scholastic Inc.

ISBN 978-1-338-19378-7

10 9 8 7 6 5 4 3 2 1   17 18 19 20 21

Printed in the U.S.A.   08
First Spanish edition 2017

Las ilustraciones de este libro se hicieron en acrílico (con plumas y lápices) sobre papel de acuarela.

Telma la unicornio

Aaron Blabey

SCHOLASTIC INC.

Telma se sentía muy triste.
Sí, estaba desconsolada.
Porque ser una unicornio
era lo que más deseaba.

Así se lo dijo a Otis,
que era su amigo adorado.
—Eres perfecta así —le dijo él.

Pero Telma dijo:
—¡Estás equivocado!

Caminando Telma un día,
una zanaharia encontró.
Y se le ocurrió una idea tan buena,
que brincó y relinchó.

Le puso una cuerda a la zanahoria
y a su nariz se la amarró.
—¡DIRÉ que soy una unicornio!
¿Quién me dirá que no?

Justo en ese momento,
un camión por ahí pasó.
El conductor se llevó tal sorpresa
que de la carretera se salió.

Telma lo saludó amablemente,
sin notar que la carga explotaba.
¿Creerías que el camión llevaba
purpurina y pintura rosada?

Ay, ¡Telma se veía fabulosa!
En una unicornio se había
CONVERTIDO.

—¡Ahora soy especial!
—gritó—.

Mi sueño se ha cumplido.

Por todo el ancho mundo,
sus admiradores la agasajaban.

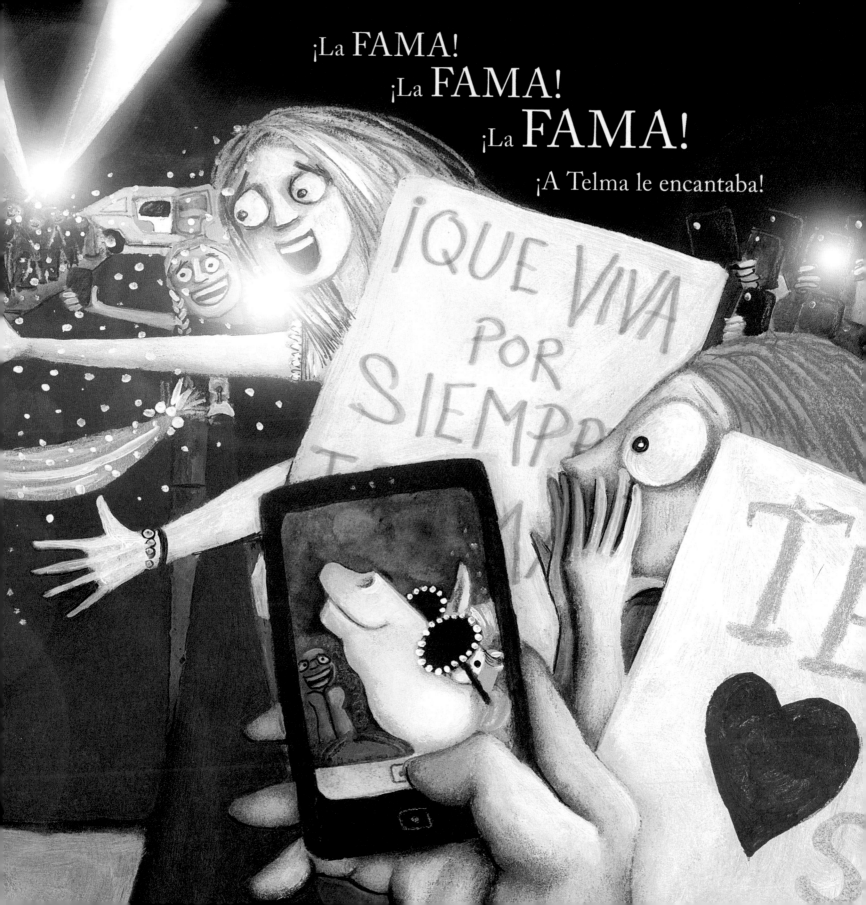

¡La FAMA!
¡La FAMA!
¡La FAMA!

¡A Telma le encantaba!

¡Telma era una superestrella!
Tenía una vida soñada.

La princesa encantada

Pero al poco tiempo descubrió
que la fama podía ser muy pesada.

Sus admiradores estaban locos por ella.
Gritaban, reían y lloraban.
La perseguían por todas partes.
Parecía que nunca se cansaban.

La esperaban fuera de su casa.

Por las ventanas

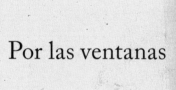

la ESPIABAN.

Cuando hacía ejercicio la distraían.

Cuando iba de compras la celaban.

—No me sigan más, por favor
—les dijo a quienes le gritaban.
—Queremos —respondieron ellos—.
Somos admiradores. No nos importa nada.

Pero algunos no eran admiradores.
Era gente odiosa hasta decir no más.

Podían hacer las cosas más crueles
que uno pudiera imaginar.

Así que una noche triste,
oscura y muy fría,
estando en su cama se dio cuenta

de que muy sola se sentía.

La pobre Telma
entró al baño,
y una sabia decisión tomó.

Se limpió la purpurina
y la pintura.

Y al cuerno mágico le dijo adiós.

Luego, pasó frente a toda la gente
sin que nadie la reconociera,

pensando en lo bueno que sería...

encontrarse con Otis
en la pradera.

Y cuando él le preguntó sobre su aventura,
bajo un árbol de ramas colgantes,
ella le dijo: "Fue muy divertido...

pero prefiero ser la que era antes".